KU-565-591

A phan wyt ti'n chwerthin ac yn rhedeg ras,
chwerthin wna' i bob munud.

And when you giggle, laugh and run,
I'll laugh along with you.

Mi wna' i fy ngorau i
dy ddal yn dynn
pan fyddi di'n teimlo'n isel.

I'll do my best to pick you up
when you are feeling down.

Mi ddo'i o hyd i dy wên fach wych
a gwneud i bob gwg adael.

I'll try to find your lovely smile
and smooth away your frown.

Pan fyddi wedi dychryn ac yn ansicr,
wrth dy ochr, fe fydda' i.

When you're scared and feel unsure,
you'll find me right beside you.

A phan fyddi'n teimlo'n llwyr ar goll,
fe ddo'i o hyd i ti.

If you're ever feeling lost,
you know I'll always find you.

Pan fyddi'n rhannu'r freuddwyd fawr, fe gadwa' i hi'n gudd.

When you share your hopes and plans, I'll keep them safe for you.

Dwi'n addo helpu i wneud yn siŵr
y daw hi'n wir, un dydd.

I promise I'll do all I can
to make your dreams come true.

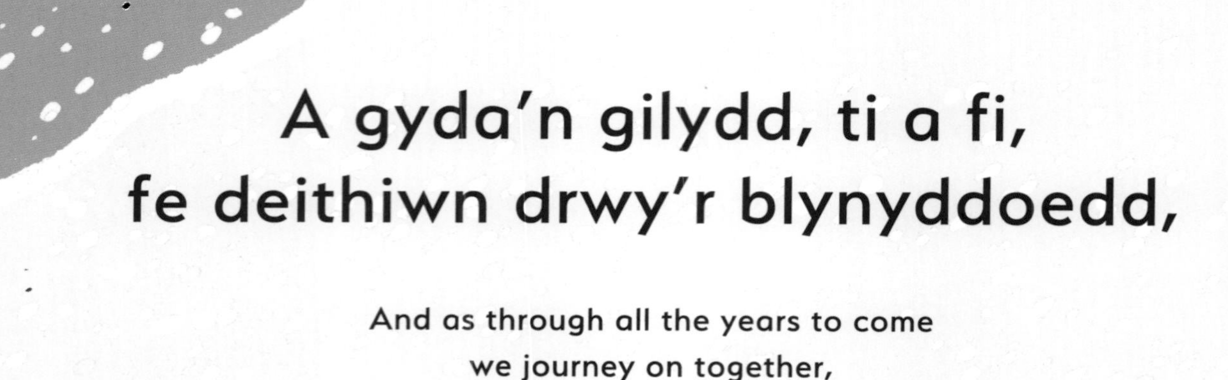

A gyda'n gilydd, ti a fi,
fe deithiwn drwy'r blynyddoedd,

And as through all the years to come
we journey on together,

fy nghalon fach,
fe fydda' i'n
dy garu ...

deep within my heart, I know
I will love you ...

am byth bythoedd.

forever.

Y fersiwn Saesneg

Cyhoeddwyd gyntaf yn y DU yn 2013 gan Templar Books,
adran o Bonnier Books UK,
The Plaza, 535 King's Road, London SW10 0SZ
www.templarco.co.uk
www.bonnierbooks.co.uk

Hawlfraint © 2013 by Emma Dodd

Cedwir pob hawl.

Argraffiad gwreiddiol wedi'i gyhoeddi yn Saesneg o dan y teitl: *Forever*

Y fersiwn Cymraeg

Cyhoeddwyd yn y Gymraeg gan Atebol Cyfyngedig,
Adeiladau'r Fagwyr, Llanfihangel Genau'r Glyn, Aberystwyth, Ceredigion SY24 5AQ

Addaswyd gan Eurig Salisbury
Dyluniwyd gan Owain Hammonds

Hawlfraint © Atebol Cyfyngedig 2021

Ni chaniateir atgynhyrchu unrhyw ran o'r deunydd hwn na'i drosglwyddo ar unrhyw ffurf neu drwy unrhyw fodd, electronig neu fecanyddol, gan gynnwys llungopïo, recordio neu drwy gyfrwng unrhyw system storio ac adfer, heb ganiatâd ysgrifenedig y cyhoeddwr. Cedwir pob hawl.

Dymuna'r cyhoeddwr gydnabod cymorth ariannol Cyngor Llyfrau Cymru.

ISBN: 978-1-80106-076-9

www.atebol.com